W9-BUY-193

Weigelt, Udo
Los fantásticos viajes del pequeño león / Udo Weigelt; ilustrado por Julia Gukova
1ª ed. - Buenos Aires : Unaluna, 2006.
28 p. : il. ; 28 x 21 cm.

Traducido por : Ana Drucker

ISBN 987-1296-16-9
1. Literatura Infantil Suiza. I. Gukova, Julia, ilus. II. Drucker, Ana, trad. III. Título
CDD 830.928 2

Título Original: *Die phantastischen Reisen des kleinen Löwen*
Texto: Udo Weigelt
Ilustraciones: Julia Gukova

Traducción: Ana Drucker

ISBN: 987-1296-16-9
ISBN: 978-987-1296-16-3

Copyright © 2004 by Nord-Süd Verlag AG, Grossau Zürich
Copyright © Unaluna, 2006
Copyright © Editorial Heliasta SRL, 2006

Distribuidores exclusivos: Editorial Heliasta S.R.L.
Viamonte 1730 - 1er piso (C1055 ABH) Buenos Aires, Argentina
Tel.: (54-11) 4371-5546 - Fax: (54-11) 4375-1659
editorial@heliasta.com.ar - www.heliasta.com.ar

www.unaluna.com.ar

Queda hecho el depósito que establece la Ley 11.723.
Libro de edición argentina.

Esta primera edición de 3000 ejemplares se terminó de imprimir en PRINTING BOOKS,
Mario Bravo 835, Avellaneda, Pcia. de Buenos Aires, en el mes de octubre de 2006.

Los fantásticos viajes

del pequeño león

Un cuento de Udo Weigelt . Con ilustraciones de Julia Gukova

Algunos animales que habían estado viajando con sus padres, se reunieron una mañana en el desierto para contar sus hazañas. ¡Cada viaje era más lindo que el anterior!

Por último, llegó el turno del león.

—Bien, yo —dijo el león, que era fanfarrón— he viajado por todo el mundo. Primero fuimos al mar. Yo era un verdadero león marino, ¡hasta fui un león marino pirata! —añadió con orgullo.

—¡Oh! —se asombraron los otros animales.

—Sí— siguió el león, cada vez más vanidoso—, nuestro barco se llamaba *Corazón de León*. ¡Nosotros éramos muy valientes y abordábamos a cualquier barco que quisiéramos!

—¡Fantástico! —gritaron los animales.

—¿Y después qué pasó? —preguntó el zorro del desierto.

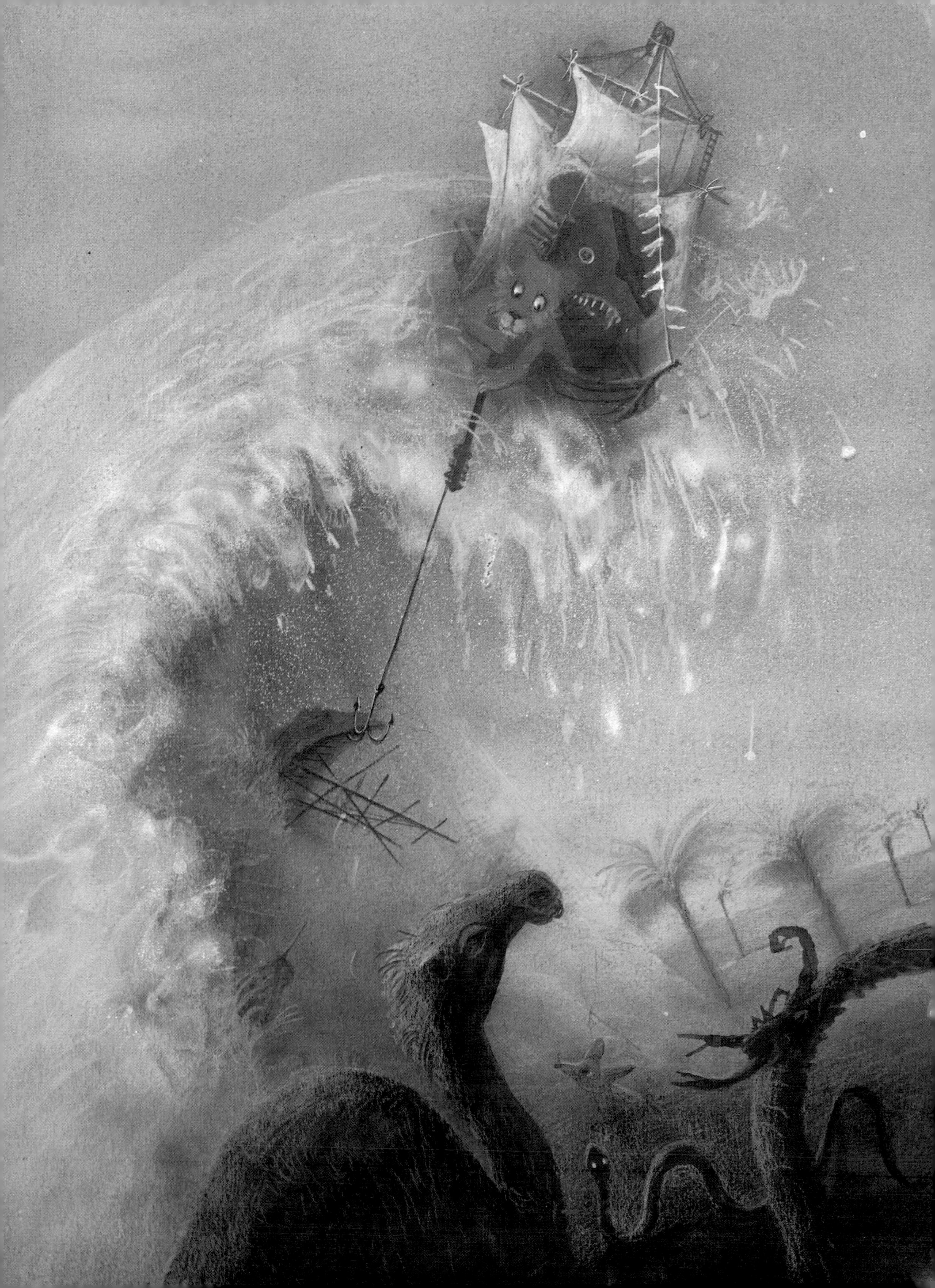

El león continuó entusiasmado relatando su viaje.

—Después fui un león de las montañas —dijo—. Trepé hasta la cima de las montañas más altas del mundo.

—¿Por qué hiciste eso? —preguntó el camello.

El león lo miró sorprendido. Pensó un momento. Finalmente le respondió:

—¡Simplemente porque estaban ahí!

Los otros animales no comprendieron muy bien esa idea.

—Después fui un caballero —continuó rápidamente, cuando se dio cuenta de que a los otros animales no les había gustado mucho la historia del león de la montaña—. Luché contra otros caballeros que estaban furiosos y contra los dragones. Hubieran visto: ¡yo solo contra cien dragones! ¡Pero los vencí a todos!

—Creí que no había más caballeros y dragones —objetó el escorpión.

—Por supuesto, ¡ahora ya no hay más! —dijo el león rápidamente.

—¿Y después qué pasó? —quiso saber la serpiente.

El león lo pensó mientras los demás animales esperaban pacientemente.

—Después... después me convertí en buscador de tesoros. ¡Encontré un gran tesoro!

—¿Y dónde está ahora? —preguntó el buitre.

El león lo miró azorado. No había pensado en que le harían esa pregunta.

—¿Ahora?, Bueno... lo regalé —dijo rápidamente—, a otros leones.

—¡Ajá! —dijeron los animales.

—¿Y después qué pasó? —preguntó el zorro del desierto.

El león lentamente comenzó a transpirar, aunque estaba acostado a la sombra debajo de una palmera.

—¡Ah, sí, ya lo tengo! —exclamó después de un rato—. Fui maquinista de tren. Tenía el tren más rápido del mundo. Era tan rápido, que a veces ya había llegado ¡antes de darme cuenta de que había salido!

—Humm —murmuraron los otros animales.

—¿Y después qué pasó? —preguntó el escorpión.

El león no podía pensar en ninguna otra cosa. "Ojalá no hubiera empezado con esto", pensó. Trató de inventar algo por un largo rato.

—Ayudé a los bomberos —gritó finalmente, con alivio—. Apagamos incendios y salvé a un gato, que se hallaba en dificultades por treparse a los árboles.

—¿Y después qué pasó? —preguntó el camello.

El león casi no sabía qué otra cosa decir. Pensó lo que podía contar por un largo rato.

—¡Viajé en globo! —exclamó por fin—. Una vez alrededor del mundo y de vuelta otra vez. Hasta volé por encima de las nubes. Podía ver todo claramente, desiertos y selvas, montañas y ríos.

—Fantástico —dijeron los animales nuevamente.

Únicamente el buitre no estaba muy impresionado.

—¿Y después qué pasó? —preguntó.

El león miró al buitre pensativo.

—Luego —continuó— ¡volé a la Luna!

—¿Por qué hiciste eso? —quiso saber el zorro del desierto.

El león dudó por un momento.

—Bueno, porque quería visitar al hombre en la Luna. Pero fue inútil porque no estaba allí en ese momento.

—Ajá —dijeron los otros animales. Pero no estaban muy convencidos.

—¿Y después qué pasó? —preguntó el escorpión.

El león pensó mucho. Pero no se le ocurrió nada. Por eso dijo:

—Luego volví a mi casa. ¡Y acá estoy!

Los animales se miraron unos a otros.

—Hablas de una forma realmente fantástica —dijo por fin el camello—, pero no creo ni una palabra de todo eso. Acabas de inventar todo lo que nos has dicho.

—Y de todos modos, ¿por qué nos cuentas todas esas mentiras? —le reprochó el zorro del desierto con tono crítico.

Al principio el león no quería admitirlo. Finalmente respiró hondo y dijo:

—Bueno, la verdad es que estuve en casa todo el tiempo. Lamentablemente no pudimos irnos de vacaciones este año. Yo pensé que no querrían volver a jugar conmigo si yo era el único al que no le pasaba nada divertido. Así que inventé todo esto y ¡realmente fue muy aburrido cuando ustedes no estaban!

—Pero nosotros no queremos jugar sin ti —exclamó el buitre, asombrado—. Así que no tienes que inventar nada.

El león estaba completamente aliviado. La serpiente dijo de pronto como reflexionando:

—Aunque.... Aunque… creo que primero me gustaría escuchar al león contar otro cuento inventado por él ¡Después, todos a jugar!